U0101670

元墓，宿葆生叔書畫舫中。

于園

于園在瓜州步五里鋪，富人于五所園也，非顯者刺則門鑰不得出。葆生叔同知瓜州，携余往，主人處處款之。園中無他奇，奇在磥石。前堂石坡高二丈，上植果子松數棵，緣坡植牡丹、芍藥，人不得上，以實奇。後廳臨大池，池中奇峰絶壑，陡上陡下，人走池底，仰視蓮花，反在天上，以空奇。卧房檻外一壑，旋下如螺螄纏，以幽陰深邃奇。再後一水閣，長如艇子，跨小河，四圍灌木鬖叢，禽鳥啾唧，如深山茂林，坐其中頹然碧窈。瓜州諸園亭，俱以假山顯，胎于石，娠于磥石之手，男女于琢磨搜剔之主人，至于園可無憾矣。儀真汪園，葢石費至四五萬，其所最如意者爲『飛來』一峰，陰翳泥濘，供人唾駡。余見其弃地下一白石，高一丈、闊二丈而痴，痴妙；一黑石，闊八尺、高丈五而瘦，瘦妙。得此二石足矣，省下二三萬收其子母，以世守此二石何如？

諸工

竹與漆與銅與窑，賤工也。嘉興之臘竹、王二之漆竹、蘇州姜華雨之莓篆竹，嘉興洪漆之漆，張銅之銅，徽州吴明官之窑，皆以竹與漆與銅與窑名家起家，而其人且與縉紳先生列坐抗禮焉。則天下何物不足以貴人，特人自賤之耳。

姚簡叔畫

姚簡叔畫千古，人亦千古。戊寅，簡叔客魏爲上賓。余寓

卷五

范長白

范長白園在天平山下，萬石都焉。龍性難馴，石皆笏起。旁爲范文正墓。園外有長堤，桃柳曲橋，蟠屈湖面，橋盡抵園。園門故作低小，進門則長廊複壁直達山麓，其繪樓、幔閣、秘室、曲房，故故匿之，不使人見也。山之左爲桃源，峭壁迴湍，桃花片片流出。右孤山，種梅千樹。渡澗爲小蘭亭，茂林修竹，曲水流觴，件件有之。竹大如椽，明静娟潔，打磨滑澤如扇骨，是則蘭亭所無也。地必古迹，名必古人，此是主人學問。但桃則溪之，梅則嶼之，竹則林之，儘可自名其家，不必寄人籬下

也。余至，主人出見。主人與大父同籍，以奇醜著，是日釋褐，大父嬲之曰：『丑不冠帶，范年兄亦冠帶了也。』人傳以笑。余亟欲一見，及出，狀貌果奇，似羊肚石雕一小猱，其鼻垩顴頤猶殘缺失次也。冠履精潔，若諧謔談笑，面目中不應有此。開山堂小飲，綺疏藻幕，備極華褥，秘閣清謳，絲竹摇颺，忽出層垣，知爲女樂。飲罷，又移席小蘭亭，比晚辭去。主人曰：『寬坐，請看「少焉」。』余不解，主人曰：『吾鄉有縉紳先生，喜調文袋，以《赤壁賦》有「少焉月出于東山之上」句，遂字月爲「少焉」。頃言「少焉」者，月也。』固留看月，晚景果妙。主人曰：『四方客來，都不及見小園雪，山石谽谺，銀濤蹴起，掀翻五泄，搗碎龍湫，世上偉觀，惜不令宗子見也。』步月而出，至

桃葉渡，往來者閔汶水、曾波臣一二人而已。簡叔無半面交，訪余，一見如平生歡，遂榻余寓。與余料理米鹽之事，不使余知。有空，則拉余飲淮上館，潦倒而歸。京中諸勛戚、大老、朋儕、緇衲、高人、名妓與簡叔交者，必使交余，無或遺者。與余同起居者十日，有蒼頭至，方知其有妾在寓也。簡叔塞淵不露聰明，爲人落落難合，孤意一往，使人不可親疏。與余交，不知何緣，反而求之不得也。訪友報恩寺，出册葉百方，宋元名筆。簡叔眼光透入重紙，據梧精思，面無人色。及歸，爲余仿蘇漢臣一圖：小兒方據澡盆浴，一脚入水，一脚退縮欲出；宫人蹲盆側，一手掖兒，一手爲兒擤鼻涕；旁坐宫娥，一兒浴起伏其膝，爲結綉䰨。一圖，宫娥盛妝端立有所俟，雙鬟尾之；一侍兒捧盤，盤列二甌，意色向客；一宫娥持其盤，爲整茶鍬，詳視端謹。覆視原本，一筆不失。

爐峰月

爐峰絶頂，複岫迴巒，斗聳相亂，千丈岩陬牙横梧，兩石不相接者丈許，俯身下視，足震慴不得前。王文成少年曾趵而過，人服其膽。余叔爾藴以氈裹體，縋而下，余挾二樵子從壑底摉而上，可謂痴絶。丁卯四月，余讀書天瓦庵，午後同二三友人登絶頂看落照。一友曰：『少需之，俟月出去。勝期難再得，縱遇虎亦命也。且虎亦有道，夜則下山覓豚犬食耳，渠上山亦看月耶？』語亦有理。四人踞坐金簡石上。是日，月正望，日没月出，山中草木都發光怪，悄然生恐。月白路明，相與策杖而下，行未數武，半山嗚嘷，乃余蒼頭同山僧七八人，持火燎、鞥刀、木棍，疑余輩遇虎失路，緣山叫喊耳。余接聲應，奔而上，扶掖下之。次日，山背有人言：『昨晚更定，有火燎數十把，大盜百餘人，過張公嶺，不知出何地？』吾輩匿笑不之語。謝靈運開山臨澥，從者數百人，太守王琇驚駭，謂是山賊，及知爲靈運，乃安。吾輩是夜不以山賊縛獻太守，亦幸矣。

湘湖

西湖，田也而湖之，成湖焉；湘湖，亦田也而湖之，不成湖焉。湖西湖者，坡公也，有意于湖而湖之者也；湖湘湖者，任長者也，不願湖而湖之者也。任長者有湘湖田數百頃，稱巨富。有術者相其一夜而貧，不信。縣官請湖湘湖，灌蕭山田，詔

湖之，而長者之田一夜失，遂赤貧如術者言。今雖湖，尚田也，不下插板，不築堰，則水立涸。是以湖中水道，非熟于湖者不能行咫尺。游湖者堅欲去，必尋湖中小船與湖中識水道之人，遡十閼三，鯁咽不之暢焉。湖裏外鎖以橋，裏湖愈佳。蓋西湖止一湖心亭爲眼中黑子，湘湖皆小阜、小墩、小山，亂插水面，四圍山趾，棱棱礪礪，濡足入水，尤爲奇峭。余謂西湖如名妓，人人得而媟褻之；鑒湖如閨秀，可欽而不可狎；湘湖如處子，眡娗羞澀，猶及見其未嫁時也。此是定評，確不可易。

柳敬亭說書

南京柳麻子，黧黑，滿面疤癗，悠悠忽忽，土木形骸，善說書。一日說書一回，定價一兩。十日前先送書帕下定，常不得

空。南京一時有兩行情人，王月生、柳麻子是也。余聽其説『景陽岡武松打虎』白文，與本傳大异。其描寫刻畫，微入毫髮，然又找截乾净，并不嘮叨。勃夬聲如巨鐘。説至筋節處，叱吒叫喊，洶洶崩屋。武松到店沽酒，店内無人，謈地一吼，店中空缸空甓皆瓮瓮有聲。閒中著色，細微至此。主人必屏息静坐，傾耳聽之，彼方掉舌，稍見下人呫嗶耳語，聽者欠伸有倦色，輒不言，故不得强。每至丙夜，拭桌剪燈，素甆静遞，款款言之，其疾徐輕重，吞吐抑揚，入情入理，入筋入骨，摘世上説書之耳，而使之諦聽，不怕其不齰舌死也。柳麻子貌奇醜，然其口角波俏，眼目流利，衣服恬静，直與王月生同其婉孌，故其行情正等。

樊江陳氏橘

樊江陳氏，辟地爲果園，枸菊圍之。自麥爲蒟醬，自秫釀酒。酒香洌，色如淡金蜜珀，酒人稱之。自果自蓏，以螯乳醴之爲冥果。樹謝橘百株，青不擷，酸不擷，不樹上紅不擷，不霜不擷，不連蒂剪不擷。故其所擷，橘皮寬而綻，色黄而深，瓤堅而脆，筋解而脱，味甜而鮮。第四門陶堰道墟以至塘栖，皆無其比。余歲必親至其園買橘，寧遲，寧貴，寧少。購得之，用黄砂缸藉以金城稻草或燥松毛收之。閲十日，草有潤氣，又更换之。可藏至三月盡，甘脆如新擷者。枸菊城主人橘百樹，歲獲絹百匹，不愧木奴。

治沅堂

古有拆字法。宣和間，成都謝石拆字，言禍福如響。欽宗聞之，書一『朝』字，令中貴人持試之。石見字，端視中貴人曰：『此非觀察書也。』中貴人愕然。石曰：『「朝」字離之爲十月十日，乃此月此日所生之天人，得非上位耶？』一國駭异。吾越謝文正廳事名『保錫堂』，後易之他姓，主人至，亟去其扁，人問之，曰：『分明寫「呆人易金堂」。』朱石門爲文選署中額『典劇』二字，繼之者顧諸吏曰：『爾知朱公意乎？此二字離合言之，曰「曲處曲處，八刀八刀」耳。』歙許相國孫志吉爲大理評事，受魏璫指，案賣黄山，勢張甚，當道媚之，送一扁曰『大卜于門』。里人夜至，增減其筆畫凡三：一曰『天下未聞』，一倒讀之曰『鬮手下犬』，一曰『太平拿問』。後直指提問，械至太平，果如其言。凡此數者皆有義味。而吾鄉縉紳有名『治沅堂』者，人不解其義，問之，笑不答，力究之，縉紳曰：『無他意，亦止取「三台三元」之義云耳！』聞者噴飯。

虎丘中秋夜

虎丘八月半，土著流寓、士夫眷屬、女樂聲伎、曲中名妓戲婆、民間少婦好女、崽子孌童及游冶惡少、清客幫閑、傒僮走空之輩，無不鱗集。自生公臺、千人石、鵝澗、劍池、申文定祠，下至試劍石、一二山門，皆鋪氈席地坐，登高望之，如雁落平沙，霞鋪江上。天暝月上，鼓吹百十處，大吹大擂，十番鐃鈸，漁陽摻撾，動地翻天，雷轟鼎沸，呼叫不聞。更定，鼓鐃漸歇，絲管繁興，雜以歌唱，皆『錦帆開澄湖萬頃』同場大曲，蹲踏和鑼絲竹肉聲，不辨拍煞。更深，人漸散去，士夫眷屬皆下船水嬉，席席徵歌，人人獻技，南北雜之，管弦迭奏，聽者方辨句字，藻鑒隨之。二鼓人静，悉屏管弦，洞簫一縷，哀澀清綿，與肉相引，尚存三四，迭更爲之。三鼓，月孤氣肅，人皆寂闃，不雜蚊虻。一夫登場，高坐石上，不簫不拍，聲出如絲，裂石穿雲，串度抑揚，一字一刻。聽者尋入針芥，心血爲枯，不敢擊節，惟有點頭。然此時雁比而坐者，猶存百十人焉。使非蘇州，焉討識者！

麋公

萬曆甲辰，有老醫馴一大角鹿，以鐵鉗其趾，設鞍韉其上，用籠頭銜勒騎而走，角上挂葫蘆藥瓮，隨所病出藥，服之輒愈。家大人見之喜，欲售其鹿，老人欣然，肯解以贈，大人以三十金售之。五月朔日，爲大父壽，大父偉碩，跨之走數百步，輒立而喘，常命小傒籠之，從游山澤。次年，至雲間，解贈陳眉公。眉公羸瘦，行可連二三里，大喜。後携至西湖六橋三竺間，竹冠羽衣，往來于長堤深柳之下，見者嘖嘖，稱爲『謫仙』。後眉公復號『麋公』者，以此。

揚州清明

揚州清明，城中男女畢出，家家展墓。雖家有數墓，日必展之。故輕車駿馬，簫鼓畫船，轉摺再三，不辭往復。監門小户亦携殽核紙錢，走至墓所，祭畢，席地飲胙。自鈔關、南門、古無其風韵。楚楚謖謖，其孤意在眉，其深情在睫，其解意在烟視媚行。性命于戲，下全力爲之。曲白有誤，稍爲訂正之，雖後數月，其誤處必改削如所語。楚生多坐馳，一往深情，摇颺無主。一日，同余在定香橋，日晡烟生，林木窅冥，楚生低頭不語，泣如雨下，余問之，作飾語以對。勞心忡忡，終以情死。

揚州瘦馬

揚州人日飲食于瘦馬之身者數十百人。娶妾者切勿露意，稍透消息，牙婆駔儈，咸集其門，如蠅附羶，撩撲不去。黎明，即促之出門，媒人先到者先挾之去，其餘尾其後，接踵伺之。至瘦馬家，坐定，進茶，牙婆扶瘦馬出，曰：『姑娘拜客。』下拜。曰：『姑娘往上走。』走。曰：『姑娘轉身。』轉身向明立，面出。曰：『姑娘借手睄睄。』盡褫其袂，手出、臂出、膚亦出。曰：『姑娘睄相公。』轉眼偷覷，眼出。曰：『姑娘幾歲？』曰幾歲，聲出。曰：『姑娘再走走。』以手拉其裙，趾出。然看趾有法，凡出門裙幅先響者，必大；高繫其裙，人未出而趾先出者，必小。曰：『姑娘請回。』一人進，一人又出。看一家必五六人，咸如之。看中者，用金簪或釵一股插其鬢，曰『插帶』。看不中，出錢數百文，賞牙婆或賞其家侍婢，又去看。牙婆倦，又有數牙婆踵伺之。一日、二日，至四五日，不倦亦不盡，然看至五六十人，白面紅衫，千篇一律，如學字者，一字寫至百至千，連此字亦不認得矣。心與目謀，毫無把柄，不得不聊且遷就，定其一人。『插帶』後，本家出一紅單，上寫綵緞若干，金花若干，財禮若干，布匹若干，用筆蘸墨，送客點閱。客批財禮及緞匹如其意，則肅客歸，歸未抵寓，而鼓樂、盤擔、紅綠、羊酒在其門久矣。不一刻而禮幣、餚果俱齊，鼓樂導之去，去未半里而花轎、花燈、擎燎、火把、山人、儐相、紙燭、供果、牲醴之屬，門前環侍。厨子挑一擔至，則蔬果、餚饌、湯點、花棚、糖餅、桌圍、坐褥、酒壺、杯箸、龍虎壽星、撒帳牽紅、小唱弦索之類，又畢備矣。不待覆命，亦不待主人命，而花轎及親送小轎一齊往迎，鼓樂燈燎，新人轎與親送轎一時俱到矣。新人拜堂，親送上席，小唱鼓吹，喧闐熱鬧。日未午而討賞遽去，急往他家，又復如是。

卷六

彭天錫串戲

彭天錫串戲妙天下，然齣齣皆有傳頭，未嘗一字杜撰。曾以一齣戲，延其人至家費數十金者，家業十萬緣手而盡。三春多在西湖，曾五至紹興，到余家串戲五六十場而窮其技不盡。天錫多扮丑浄，千古之奸雄佞幸，經天錫之心肝而愈狠，借天錫之面目而愈刁，出天錫之口角而愈險。設身處地，恐紂之惡不如是之甚也。皺眉眡眼，實實腹中有劍，笑裏有刀，鬼氣殺機，陰森可畏。蓋天錫一肚皮書史，一肚皮山川，一肚皮機械，一肚皮磥砢不平之氣，無地發洩，特于是發洩之耳。余嘗見一齣好戲，恨不得法錦包裹，傳之不朽，嘗比之天上一夜好月與得火候一杯好茶，祇可供一刻受用，其實珍惜之不盡也。桓子野見山水佳處，輒呼『奈何！奈何！』真有無可奈何者，口説不出。

目蓮戲

余蘊叔演武場搭一大臺，選徽州旌陽戲子，剽輕精悍，能相撲跌打者三四十人，搬演目蓮，凡三日三夜。四圍女臺百什座。戲子獻技臺上，如度索舞絙、翻桌翻梯、觔斗蜻蜓、蹬罈蹬臼、跳索跳圈、竄火竄劍之類，大非情理。凡天神地祇、牛頭馬面、鬼母喪門、夜叉羅刹、鋸磨鼎鑊、刀山寒冰、劍樹森羅、鐵城血澥，一似吴道子《地獄變相》，爲之費紙札者萬錢，人心惴惴，燈下面皆鬼色。戲中套數，如《招五方惡鬼》、《劉氏逃棚》等劇，萬餘人齊聲吶喊，熊太守謂是海寇卒至，驚起，差衙官偵問，余叔自往復之，乃安。臺成，叔走筆書二對，一曰：『果證幽明，看善善惡惡隨形答響，到底來那個能逃？道通晝夜，任生生死死換姓移名，下場去此人還在。』一曰：『裝神扮鬼，愚蠢的心下驚慌，怕當真也是如此。成佛作祖，聰明人眼底忽略，臨了時還待怎生？』真是以戲説法。

甘文臺爐

香爐貴適用，尤貴耐火。三代青緑，見火即敗壞，哥、汝窑亦如之。便用便火，莫如宣爐。然近日宣銅一爐，價百四五十金，焉能辨之？北鑄如施銀匠亦佳，但粗夯可厭。蘇州甘回子文臺，其撥蠟範沙，深心有法，而燒銅色等分兩，與宣銅款緻分毫無二，俱可亂真，然其與人不同者尤在銅料。甘文臺以回回教門不崇佛法，烏斯藏滲金佛，見即錘碎之，不介意，故其銅質不特與宣銅等，而有時實勝之。甘文臺自言佛像遭劫已七百尊有奇矣。余曰：『使回回國別有地獄，則可。』

紹興燈景

紹興燈景爲海内所誇者無他，竹賤、燈賤、燭賤。賤，故家家可爲之；賤，故家家以不能燈爲恥。故自莊逵以至窮檐曲巷，無不燈、無不棚者。棚以二竿竹搭過橋，中橫一竹，挂雪燈一，燈球六。大街以百計，小巷以十計。從巷口回視巷内，複疊堆垛，鮮妍飄灑，亦足動人。十字街搭木棚，挂大燈一，俗曰『呆燈』，畫《四書》、《千家詩》故事，或寫燈謎，環立猜射之。庵堂寺觀以木架作柱燈及門額，寫『慶賞元宵』、『與民同樂』等字。佛前紅紙荷花琉璃百盞，以佛圖燈帶間之，熊熊煜煜。廟門前高臺鼓吹。五夜市廛，如橫街軒亭、會稽縣西橋，閭里相約，故盛其燈。更于其地門獅子燈，鼓吹彈唱，施放烟火，擠擠雜雜。小街曲巷有空地，則跳大頭和尚，鑼鼓聲錯，處處有人團簇看之。城中婦女，多相率步行，往鬧處看燈；否則，大家小户雜坐門前，吃瓜子糖豆，看往來士女，午夜方散。鄉村夫婦，多在白日進城，喬喬畫畫，東穿西走，曰『鑚燈棚』，曰『走燈橋』，天晴無日無之。萬曆間，父叔輩于龍山放燈，稱盛事，而年來有效之者。次年，朱相國家放燈塔山，再次年放

燈蕺山，蕺山以小户效顰，用竹棚多挂紙魁星燈。有輕薄子作口號嘲之曰：『蕺山燈景實堪誇，葫蘆竿頭挂夜叉。若問搭彩是何物，手巾脚布神袍紗。』谿今思之，亦是不惡。

韻山

大父至老，手不釋卷，齋頭亦喜書畫、瓶几布設。不數日，翻閱搜討，塵堆硯表，卷帙正倒參差。常從塵硯中磨墨一方，頭眼入于紙筆，潦草作書生家蠅頭細字。日晡向晦，則攜卷出簾外，就天光爇燭，檠高光不到紙，輒倚几攜書就燈，与光俱頫，每至夜分，不以為疲。常恨《韻府群玉》、《五車韻瑞》寒儉可笑，意欲廣之。乃博采群書，用淮南大小山義：摘其事曰『大山』，摘其語曰『小山』，事語已詳本韻而偶寄他韻下曰

『他山』，膾炙人口者曰『殘山』，總名之曰『韻山』。小字襞積，烟煤殘楮，厚如磚塊者三百餘本。一韻積至十餘本，《韻府》、《五車》不啻千倍之矣。正欲成帙，胡儀部青蓮攜其尊人所出中秘書，名《永樂大典》者，與《韻山》正相類，大帙三十餘本，一韻中之一字猶不盡焉。大父見而太息曰：『書囊無盡，精衛銜石填海，所得幾何！』遂輟筆而止。以三十年之精神，使為別書，其博洽應不在王弇州、楊升庵下。今此書再加三十年，亦不能成，縱成亦力不能刻，筆冢如山，只堪覆瓿，余深惜之。丙戌兵亂，余載往九里山，藏之藏經閣，以待後人。

天童寺僧

戊寅，同秦一生詣天童訪金粟和尚。到山門，見萬工池綠

净可鑒鬚眉，旁有大鍋覆地，問僧，僧曰：『天童山有龍藏，龍常下飲池水，故此水芻穢不入。正德間，二龍鬥，寺僧五六百人撞鐘鼓撼之，龍怒，掃寺成白地，鍋其遺也。』入大殿，宏麗莊嚴，折入方丈，通名刺。老和尚見人便打，曰『棒喝』。余坐方丈，老和尚遲遲出，二侍者執杖、執如意先導之，南向立，曰：『老和尚出。』又曰：『怎麽行禮？』蓋官長見者皆下拜，無抗禮，余屹立不動，老和尚下行賓主禮。侍者又曰：『老和尚怎麽坐？』余又屹立不動，老和尚肅余坐。坐定，余曰：『二生門外漢，不知佛理，亦不知佛法，望老和尚慈悲，明白開示。勿勞棒喝，勿落機鋒，只求如家常白話，老實商量，求個下落。』老和尚首肯余言，導余隨喜，早晚齋方丈，敬禮特甚。余

遍觀寺中僧匠千五百人，俱舂者、碓者、磨者、汲者、爨者、鋸者、劈者、菜者、飯者，猙獰急遽，大似吳道子一幅《地獄變相》。老和尚規矩嚴肅，常自起撞人，不止棒喝。

水滸牌

古貌、古服、古兜鍪、古鎧胄、古器械，章侯自寫其所學所問已耳，而輒呼之曰「宋江」，曰「吳用」，而「宋江」、「吳用」亦無不應者，以英雄忠義之氣，鬱鬱芊芊，積于筆墨間也。周孔嘉丐余促章侯，孔嘉丐之，余促之，凡四閱月而成。余爲作緣起曰：「余友章侯，才足掞天，筆能泣鬼，昌谷道上，婢囊嘔血之詩，蘭渚寺中，僧秘開花之字。兼之力開畫苑，遂能目無古人，有索必酬，無求不與。既蠲郭恕先之癖，喜周賈耘老之貧，畫《水滸》四十人，爲孔嘉八口計，遂使宋江兄弟，復睹漢官威儀。伯益考著《山海》遺經，獸毨鳥氄，皆拾爲千古奇文；吳道子畫《地獄變相》，青面獠牙，盡化作一團清氣。收掌付雙荷葉，能月繼三石米，致二斗酒，不妨持贈；珍重如柳河東，必日灌薔薇露，薰玉蕤香，方許解觀。非敢阿私，願公同好。」

烟雨樓

嘉興人開口烟雨樓，天下笑之。然烟雨樓故自佳。樓襟對鶯澤湖，涳涳濛濛，時帶雨意，長蘆高柳，能與湖爲淺深。湖多精舫，美人航之，載書畫茶酒，與客期于烟雨樓。客至則載之去，艤舟于烟波縹緲。態度幽閑，茗爐相對，意之所安，經旬不返。舟中有所需，則逸出宣公橋、角里街，果蓏蔬鮮，法膳瓊蘇，咄嗟立辦，旋即歸航。柳灣桃塢，痴迷伫想，若遇仙緣，灑然言別，不落姓氏。間有倩女離魂，文君新寡，亦效顰爲之。淫靡之事，出以風韵，習俗之惡，愈出愈奇。

朱氏收藏

朱氏家藏，如『龍尾觥』、『合巹杯』，雕鏤鍥刻，真屬鬼工，世不再見。餘如秦銅漢玉、周鼎商彝、哥窑倭漆、廠盒宣爐、法書名畫、晋帖唐琴，所畜之多，與分宜埒富，時人譏之。余謂博洽好古，猶是文人韵事，風雅之列，不黜曹瞞；賞鑒之家，尚存秋壑。詩文書畫未嘗不擡舉古人，恒恐子孫效尤，以袖攫石、攫金銀以賺田宅，豪奪巧取，未免有累盛德。聞昔年朱氏子孫，有欲賣盡『坐朝問道』四號田者，余外祖蘭風先生謔之

曰：『你只管坐朝問道，怎不管垂拱平章？』一時傳爲佳話。

仲叔古董

葆生叔少從渭陽游，遂精賞鑒。得白定爐、哥窑瓶、官窑酒匜，項墨林以五百金售之，辭曰：『留以殉葬。』癸卯，道淮上，有鐵梨木天然几，長丈六，闊三尺，滑澤堅潤，非常理。淮撫李三才百五十金不能得，仲叔以二百金得之，解維遽去。淮撫大恚怒，差兵躡之，不及而返。庚戌，得石璞三十斤，取日下水滌之，石罅中光射如鸚哥祖母，知是水碧，仲叔大喜。募玉工仿朱氏龍尾觥一，合巹杯一，享價三千，其餘片屑寸皮皆成异寶。仲叔贏資巨萬，收藏日富。戊辰後，倅姑熟，倅姑蘇，尋令盟津。河南爲銅藪，所得銅器盈數車，美人觚一種，大小十

五六枚，青緑徹骨，如翡翠、如鬼眼青，有不可正視之者，歸之燕客，一日失之。或是龍藏收去。

噱社

仲叔善詼諧，在京師與漏仲容、沈虎臣、韓求仲輩結『噱社』，唼喋數言，必絕纓噴飯。漏仲容爲帖括名士，常曰：『吾輩老年讀書做文字，與少年不同。少年讀書，如快刀切物，眼光逼注皆在行墨空處，一過輒了。老年如以指頭掐字，掐得一個，只是一個，掐得不著時，只是白地。少年做文字，白眼看天，一篇現成文字挂在天上，頃刻下來，刷入紙上，一刷便完。老年如惡心嘔吐，以手扼入齒噦出之，出亦無多，總是渣穢。』此是格言，非止諧語。一日，韓求仲與仲叔同讌一客，欲連名速之，仲叔曰：『我長求仲，則我名應在求仲前，但綴繩頭于如拳之上，則是細注在前，白文在後，那有此理！』人皆失笑。沈虎臣出語尤尖巧。仲叔候座師收一帽套，此日嚴寒，沈虎臣嘲之曰：『座主已收帽套去，此地空餘帽套頭。帽套一去不復返，此頭千載冷悠悠。』其滑稽多類此。

魯府松棚

報國寺松，蔓引辨委，已入藤理。入其下者，蹣跚跼蹐，氣不得舒。魯府舊邸二松高丈五，上及檐甃，勁竿如蛇脊，屈曲撑距，意色酣怒，鱗爪拿攫，義不受制，鬣起針針，怒張如戟。舊府呼『松棚』，故松之意態情理無不棚之，便殿三楹盤鬱殆遍，暗不通天，密不通雨。魯憲王晚年好道，嘗取松肘一節，抱與同卧，久則滑澤酣酡似有血氣。

一尺雪

「一尺雪」爲芍藥异種，余于兖州見之。花瓣純白，無鬚萼，無檀心，無星星紅紫，潔如羊脂，細如鶴翮，結樓吐舌，粉艷雪腴。上下四旁方三尺，幹小而弱，力不能支，蕊大如芙蓉，輒縛一小架扶之。大江以南，有其名無其種，有其種無其土，蓋非兖勿易見之也。兖州種芍藥者如種麥，以鄰以畝。花時讌客，棚于路、綵于門、衣于壁、障于屏、綴于簾、簪于席、裀于階者，畢用之，日費數千勿惜。余昔在兖，友人日剪數百朵送寓所，堆垛狼藉，真無法處之。

菊海

兖州張氏期余看菊，去城五里。余至其園，盡其所爲園者而折旋之，又盡其所不盡爲園者而周旋之，絶不見一菊，异之。移時，主人導至一蒼莽空地，有葦廠三間，肅余入，遍觀之，不敢以菊言，真菊海也。廠三面砌壇三層，以菊之高下高下之。花大如瓷甌，無不球，無不甲，無不金銀荷花瓣，色鮮艷，异凡本，而翠葉層層，無一早脱者。此是天道，是土力，是人工，缺一不可焉。兖州縉紳家風氣襲王府，賞菊之日，其桌、其炕、其燈、其爐、其盤、其盒、其盆盎、其餚器、其杯盤大觥、其壺、其幃、其褥、其酒、其麵食、其衣服花樣，無不菊者。夜燒燭照之，蒸蒸烘染，較日色更浮出數層。席散，撤葦簾以受繁露。

曹山

萬曆甲辰，大父游曹山，大張樂于獅子岩下。石梁先生戲作山君檄討大父，祖昭明太子語，謂若以管弦污我岩壑。大父作檄罵之，有曰：『誰云鬼刻神鏤，竟是殘山剩水。』石簣先生嗤石梁曰：『文人也，那得犯其鋒，不若自認以「殘山剩水」四字摩崖勒之。』先輩之引重如此。曹石宕爲外祖放生池，積三十餘年，放生幾百千萬，有見池中放光如萬炬燭天，魚蝦荇藻附之而起直達天河者。余少時從先宜人至曹山庵作佛事，以大竹簰貯西瓜四浸宕內，須臾大聲起岩下，水噴起十餘丈，三小舟纜斷，顛翻波中，衝擊幾碎。舟人急起視，見大魚如舟，口欲四瓜，掉尾而下。

齊景公墓花罇

霞頭沈僉事宦游時，有發掘齊景公墓者，迹之，得銅豆三，大花罇二。豆樸素無奇。花罇高三尺，束腰拱起，口方而敞，四面戟楞，花紋獸面，粗細得款，自是三代法物。歸乾劉陽太公，余見賞識之，太公取與嚴，一介不敢請。及宦粵西，外母歸余齋頭，余拂拭之，爲發异光。取浸梅花，貯水，汗下如雨，逾刻始收，花謝結子大如雀卵。余藏之兩年，太公歸自粵西，稽覆之，余恐傷外母意，亟歸之。後爲駔儈所啖，竟以百金售去，可惜！今聞在歙縣某氏家廟。

卷七

西湖香市

西湖香市，起于花朝，盡于端午。山東進香普陀者日至，嘉湖進香天竺者日至，至則與湖之人市焉，故曰香市。然進香之人市于三天竺，市于岳王墳，市于湖心亭，市于陸宣公祠，無不市，而獨湊集于昭慶寺。昭慶寺兩廊故無日不市者。三代八朝之骨董、蠻夷閩貊之珍异，皆集焉。至香市，則殿中邊甬道上下，池左右，山門内外，有屋則攤，無屋則廠，廠外又棚，棚外又攤，節節寸寸。凡胭脂簪珥、牙尺剪刀，以至經典木魚、孖兒嬉具之類，無不集。此時春暖，桃柳明媚，鼓吹清和，岸無留船，寓無留客，肆無留釀。袁石公所謂『山色如娥，花光如頰，波紋如綾，温風如酒』，已畫出西湖三月。而此以香客雜來，光景又別。士女閒都，不勝其村妝野婦之喬畫；芳蘭薌澤，不勝其合香芫荽之薰蒸；絲竹管弦，不勝其摇鼓欱笙之聒帳；鼎彝光怪，不勝其泥人竹馬之行情；宋元名畫，不勝其湖景佛圖之紙貴。如逃如逐，如奔如追，撩撲不開，牽挽不住。數百十萬男男女女老老少少，日簇擁于寺之前後左右者，凡四閱月方罷，恐大江以東，斷無此二地矣。崇禎庚辰三月，昭慶寺火。是歲及辛巳、壬午洊饑，民强半餓死。壬午虜鯁山東，香客斷絶，無有至者，市遂廢。辛巳夏，余在西湖，但見城中餓殍舁出，扛挽相屬。時杭州劉太守夢謙，汴梁人，鄉里抽豐者，多寓西湖，日以民詞饋送。有輕薄子改古詩誚之曰：『山不青山樓不樓，西湖歌舞一時休。暖風吹得死人臭，還把杭州送汴州。』可作西湖實録。

鹿苑寺方柿

蕭山方柿，皮緑者不佳，皮紅而肉糜爛者不佳，必樹頭紅而堅脆如藕者方稱絶品。然間遇之，不多得。余向言西瓜生于六月，享盡天福；秋白梨生于秋，方柿、緑柿生于冬，未免失候。丙戌，余避兵西白山，鹿苑寺前後有夏方柿十數株。六月歊暑，柿大如瓜，生脆如咀冰嚼雪，目爲之明，但無法製之，則澀勒不可入口。土人以桑葉煎湯候冷，加鹽少許，入瓮内，浸柿没其頸，隔二宿取食，鮮磊异常。余食蕭山柿多澀，請贈以此法。

西湖七月半

西湖七月半，一無可看，止可看看七月半之人。看七月半之人，以五類看之：其一，樓船簫鼓，峨冠盛筵，燈火優傒，聲光相亂，名爲看月而實不見月者，看之；其一，亦船亦樓，名娃閨秀，攜及童孌，笑啼雜之，環坐露臺，左右盼望，身在月下而實不看月者，看之；其一，亦船亦聲歌，名妓閒僧，淺斟低唱，弱管輕絲，竹肉相發，亦在月下，亦看月而欲人看其看月者，看之；其一，不舟不車，不衫不幘，酒醉飯飽，呼群三五，躋入人叢，昭慶、斷橋，嘄呼嘈雜，裝假醉，唱無腔曲，月亦看，看月者亦看，不看月者亦看，而實無一看者，看之；其一，小船輕幌，净几暖爐，茶鐺旋煮，素瓷静遞，好友佳人，邀月同坐，或匿影樹下，或逃囂裏湖，看月而人不見其看月之態，亦不作意看月者，看之。杭人游湖，巳出酉歸，避月如仇。是夕好名，逐隊争出，多犒門軍酒錢，轎夫擎燎，列俟岸上。一入舟，速舟子急放斷橋，趕入勝會。以故二鼓以前，人聲鼓吹，如沸如撼，如魘如囈，如聾如啞，大船小船一齊凑岸，一無所見，止見篙擊篙，舟觸舟，肩摩肩，面看面而已。少刻興盡，官府席散，皂隸喝道去；轎夫叫，船上人怖以關門，燈籠火把如列星，一一簇擁而去。岸上人亦逐隊趕門，漸稀漸薄，頃刻散盡矣。吾輩始艤舟近岸。斷橋石磴始凉，席其上，呼客縱飲。此時，月如鏡新磨，山復整妝，湖復頮面，向之淺斟低唱者出，匿影樹下者亦出，吾輩往通聲氣，拉與同坐。韵友來，名妓至，杯箸安，竹肉發。月色蒼凉，東方將白，客方散去。吾輩縱舟酣睡于十里荷花之中，香氣拍人，清夢甚愜。

及時雨

壬申七月，村村禱雨，日日扮潮神海鬼，争唾之。余里中扮《水滸》，且曰：畫《水滸》者，龍眠、松雪近章侯，總不如施耐庵，但如其面勿黛，如其髭勿鬣，如其兜鍪勿紙，如其刀杖勿樹，如其傳勿杜撰，勿弋陽腔，則十得八九矣。于是分頭四出，尋黑矮漢，尋梢長大漢，尋頭陀，尋胖大和尚，尋茁壯婦人，尋姣長婦人，尋青面，尋歪頭，尋赤鬚，尋美髯，尋黑大漢，尋赤臉長鬚，大索城中，無則之郭、之村、之山僻、之鄰府州縣，用重價聘之，得三十六人。梁山泊好漢，個個呵活，臻臻至至，人馬稱娖而行，觀者兜截遮攔，直欲看殺衛玠。五雪叔歸自廣陵，多購法錦宮緞，從以臺閣者八：雷部六，大士一，龍宮一，華重美都，見者目奪氣亦奪。蓋自有臺閣，有其華無其重，有其美無其都，有其華重美都，無其思緻，無其文理。輕薄子有言：『不替他謙了也，事事精辦。』季祖南華老人喃喃怪問余曰：『《水滸》與禱雨有何義味近？余山盜起，迎盜何爲耶？』余俯首思之，果誕而無謂，徐應之曰：『有之。』天罡盡以宿太尉殿焉。用大牌六：書『奉旨招安』者二，書『風調雨順』者一，『盜息民安』者一，更大書『及時雨』者二，前導之，觀者歡喜贊嘆，老人亦匿笑而去。

山艇子

龍山自巘花閣而西皆骨立，得其一節，亦盡名家。山艇子石，意尤孤孑，壁立霞剝，義不受土。大樟徙其上，石不容也，然不恨石屈而下與石相親疏。石方廣三丈，右坳而凹，非竹則盡矣，何以淺深乎石。然竹怪甚，能孤行，實不藉石。竹節促而虬葉毿毿，如猬毛、如松狗尾，離離矗矗，捎捩攢擠，若有所驚者。竹不可一世，不敢以竹二之。或曰：古今錯刀也。或曰：竹生石上，土膚淺，蝕其根，故輪囷盤鬱如黃山上松。山艇子樟始之石，中之竹，終之樓，意長樓不得竟其長，故艇之。然傷于貪，特特向石，石意反不之屬，使去丈而樓，壁出樟出，竹亦盡出。竹石間意，在以淡遠取之。

懸杪亭

余六歲隨先君子讀書于懸杪亭，記在一峭壁之下，木石撑距，不藉尺土，飛閣虛堂，延駢如櫛。緣崖而上，皆灌木高柯，與檐甃相錯。取杜審言『樹杪玉堂懸』句，名之『懸杪』。度索尋樟，大有奇緻。後仲叔廬其崖下，信堪輿家言，謂礙其龍脈，百計購之，一夜徙去，鞠爲茂草。兒時怡寄，常夢寐尋往。

雷殿

雷殿在龍山磨盤岡下，錢武肅王于此建蓬萊閣，有斷碣在焉。殿前石臺高爽，喬木蕭疏。六月，月從南來，樹不蔽月。余每浴後拉秦一生、石田上人、平子輩坐臺上，乘涼風，携餚核，飲香雪酒，剥鷄豆，啜烏龍井水，水涼冽激齒。下午著人投西瓜浸之，夜剖食，寒栗逼人，可讎三伏。林中多鶻，聞人聲輒驚起，磔磔雲霄間，半日不得下。

龍山雪

天啓六年十二月，大雪深三尺許。晚霽，余登龍山，坐上城隍廟山門，李岕生、高眉生、王畹生、馬小卿、潘小妃侍。萬山載雪，明月薄之，月不能光，雪皆呆白。坐久清冽，蒼頭送酒至，余勉强舉大觥敵寒，酒氣冉冉，積雪欲之，竟不得醉。馬小卿唱曲，李岕生吹洞簫和之，聲爲寒威所懾，咽澀不得出。三鼓歸寢。馬小卿、潘小妃相抱從百步街旋滾而下，直至山趾，浴雪而立。余坐一小羊頭車，拖冰凌而歸。

龐公池

龐公池歲不得船，况夜船，况看月而船。自余讀書山艇子，輒留小舟于池中，月夜夜夜出，緣城至北海坂，往返可五里，盤旋其中。山後人家，閉門高卧，不見燈火，悄悄冥冥，意頗凄惻。余設凉簟卧舟中看月，小傒船頭唱曲，醉夢相雜，聲聲漸遠，月亦漸淡，嗒然睡去。歌終忽寤，唅啁讚之，尋復鼾齁。小傒亦呵欠歪斜，互相枕藉。舟子回船到岸，篙啄丁丁，促起就寢。此時胸中浩浩落落，并無芥蒂，一枕黑甜，高舂始起，不曉世間何物謂之憂愁。

品山堂魚宕

二十年前强半住衆香國，日進城市，夜必出之。品山堂孤

松箕踞，岸幘入水。池廣三畝，蓮花起岸，蓮房以百以千，鮮磊可喜。新雨過，收葉上荷珠煮酒，香撲烈。門外魚宕，橫亘三百餘畝，多種菱芡。小菱如薑芽，輒采食之，嫩如蓮實，香似建蘭，無味可匹。深秋橘奴飽霜，非個個紅綻，不輕下剪。季冬觀魚，魚艓千餘艘，鱗次櫛比，罱者夾之，罛者扣之，簎者罨之，罾者撒之，罩者抑之，罣者舉之，水皆泥泛，濁如土漿。魚入網者圉圉，漏網者噞噞，寸鯇纖鱗，無不畢出。集舟分魚，魚稅三百餘斤，赤鰷白肚，滿載而歸。約吾昆弟烹鮮劇飲，竟日方散。

松花石

松花石，大父舁自瀟江署中。石在江口神祠，土人割牲饗神，以毛血灑石上爲恭敬，血漬毛毶，幾不見石。大父舁入署，

親自祓濯，呼爲『石丈』，有《松花石紀》。今弃階下，載花缸，不稱使。余嫌其輪囷臃腫失松理，不若董文簡家茁錯二松橛，節理槎枒，皮斷猶附，視此更勝。大父石上磨崖銘之曰：『爾昔鬣而鼓兮，松也。爾今脱而骨兮，石也。爾形可使代兮，貞勿易也。爾視余笑兮，莫余逆也。』其見寶如此。

閏中秋

崇禎七年閏中秋，仿虎丘故事，會各友于蕺山亭。每友携斗酒、五簋、十蔬果、紅氈一床，席地鱗次坐。緣山七十餘床，衰童塌妓，無席無之。在席者七百餘人，能歌者百餘人，同聲唱『澄湖萬頃』，聲如潮涌，山爲雷動。諸酒徒轟飲，酒行如泉。夜深客饑，借戒珠寺齋僧大鍋煮飯飯客，長年以大桶擔飯

不繼。命小傒岕竹、楚烟，于山亭演劇十餘齣，妙入情理，擁觀者千人，無蚊虻聲，四鼓方散。月光潑地如水，人在月中，濯濯如新出浴。夜半白雲冉冉起脚下，前山俱失，香爐、鵝鼻、天柱諸峰，僅露髻尖而已，米家山雪景仿佛見之。

愚公谷

無錫去縣北五里爲銘山。進橋店在左岸，店精雅，賣泉酒、水罈、花缸、宜興罐、風爐、盆盎、泥人等貨。愚公谷在惠山右，屋半傾圮，惟存木石。惠水涓涓，繇井之潤，繇澗之溪，繇溪之池、之厨、之湢，以滌、以濯、以灌園、以沐浴、以净溺器，無不惠山泉者，故居園者，福德與罪孽正等。愚公先生交游遍天下，名公巨卿多就之，歌兒舞女，綺席華筵，詩文字畫，

無不虛往實歸。名士清客至則留，留則款，款則餞，餞則贐。以故愚公之用錢如水，天下人至今稱之不少衰。愚公文人，其園亭實有思緻文理者爲之，磥石爲垣，編柴爲户，堂不層不廡，樹不配不行。堂之南，高槐古樸，樹皆合抱，茂葉繁柯，陰森滿院。藕花一塘，隔岸數石，亂而卧。土墻生苔，如山脚到澗邊，不記在人間。園東逼墻一臺，外瞰寺，老柳卧墻角而不讓臺，臺遂不盡瞰，與他園花樹故故爲亭臺意特特爲園者不同。

定海水操

定海演武場在招寶山海岸。水操用大戰船、唬船、蒙衝鬥艦數千餘艘，雜以魚艓輕艨，來往如織。舳艫相隔，呼吸難通，以表語目，以鼓語耳，截擊要遮，尺寸不爽。健兒瞭望，猿蹲桅斗，哨見敵船，從斗上擲身騰空休水，破浪衝濤，頃刻到岸，走報中軍，又趵躍入水，輕如魚鳧。水操尤奇在夜戰，旌旗干櫓皆挂一小鐙，青布幕之，畫角一聲，萬蠟齊舉，火光映射，影又倍之。招寶山凭檻俯視，如烹斗煮星，釜湯正沸。火炮轟裂，如風雨晦冥中電光翕焱，使人不敢正視。又如雷斧斷崖石，下墜不測之淵，觀者褫魄。

阿育王寺舍利

阿育王寺，梵宇深静，階前老松八九棵，森羅有古色。殿隔山門遠，烟光樹樾，攝入山門，望空視明，冰凉晶沁。右旋至方丈門外，有娑羅二株，高插霄漢。便殿供栴檀佛，中儲一銅塔，銅色甚古，萬曆間慈聖皇太后所賜藏舍利子塔也。舍利子常放光，琉璃五采，百道迸裂，出塔縫中，歲三四見。凡人瞻禮舍利，隨人因緣現諸色相，如墨墨無所見者，是人必死。昔湛和尚至寺，亦不見舍利，而是年死。屢有驗。次早，日光初曙，僧導余禮佛，開銅塔，一紫檀佛龕供一小塔，如筆筒六角，非木非楮，非皮非漆，上下皷定，四圍鏤刻花楞梵字。舍利子懸塔頂，下垂搖搖不定，人透眼光入楞內，復眡眼上視舍利，辨其形狀。余初見三珠連絡如牟尼串，煜煜有光。余復下頂禮，求見形相。再視之，見一白衣觀音小像，眉目分明，鬍鬘皆見。秦一生反覆視之，訖無所見，一生遑遽面發赤，出涕而去。一生果以是年八月死，奇驗若此。

過劍門

南曲中，妓以串戲爲韵事，性命以之。楊元、楊能、顧眉生、李十、董白以戲名。屬姚簡叔期余觀劇，傒僮下午唱《西樓》，夜則自串。傒僮爲興化大班，余舊伶馬小卿、陸子雲在焉，加意唱七齣戲，至更定，曲中大咤异。楊元走鬼房問小卿曰：『今日戲，氣色大异，何也？』小卿曰：『坐上坐者余主人。主人精賞鑒，延師課戲，童手指千傒僮到其家謂「過劍門」，焉敢草草！』楊元始來物色余。《西樓》不及完，串《教子》。顧眉生：周羽；楊元：周娘子；楊能：周瑞隆。楊元膽怯膚栗，不能出聲，眼眼相覷，渠欲討好不能，余欲獻媚不得，持久之，伺便喝采一二，楊元始放膽，戲亦遂發。嗣後曲中戲，必以余爲導師，余不至，雖夜分不開臺也。以余而長聲價，以余長聲價之人而後長余聲價者，多有之。

冰山記

魏璫敗，好事者作傳奇十數本，多失實，余爲删改之，仍名《冰山》。城隍廟揚臺，觀者數萬人，臺址鱗比，擠至大門外。一人上白曰：『某楊漣。』□□誶譟曰：『楊漣！楊漣！』聲達外，如潮涌，人人皆如之。杖范元白，逼死裕妃，怒氣忿涌，噤斷嘍啃。至顔佩韋擊殺緹騎，嗚呼跳蹴，洶洶崩屋。沈青霞縛藁人射相嵩以爲笑樂，不是過也。是秋，携之至兖，爲大人壽。一日，宴守道劉半舫，半舫曰：『此劇已十得八九，惜不及内操菊宴及逼靈犀與囊收數事耳。』余聞之，是夜席散，余填詞督小傒强記之，次日，至道署搬演，已增入七齣，如半舫言。半舫大駴异，知余所構，遂詣大人，與余定交。

卷八

龍山放燈

萬曆辛丑年，父叔輩張燈龍山，剡木爲架者百，塗以丹雘，帨以文錦，一燈三之。燈不專在架，亦不專在磴道，沿山襲谷，枝頭樹杪無不燈者，自城隍廟門至蓬萊岡上下，亦無不燈者。山下望如星河倒注，浴浴熊熊。又如隋煬帝夜游，傾數斛螢火于山谷間，團結方開，倚草附木迷迷不去者。好事者賣酒，緣山席地坐。山無不燈，燈無不席，席無不人，人無不歌唱鼓吹。男女看燈者，一入廟門，頭不得顧，踵不得旋，祇可隨勢，潮上潮下，不知去落何所，有聽之而已。廟門懸禁條，禁車馬，禁烟火，禁喧嘩，禁豪家奴不得行辟人。父叔輩臺于大松樹下，亦席亦聲歌，每夜鼓吹笙簧與謳歌弦管，沈沈昧旦。十六夜，張分守宴織造太監于山巔星宿閣，傍晚至山下，見禁條，太監忙出輿笑曰：『遵他，遵他，自咱們遵他起！』却牕役，用二丱角扶掖上山。夜半，星宿閣火罷，謳亦遂罷。燈凡四夜，山上下糟丘肉林，日掃果核蔗滓及魚肉骨蠡蛻，堆砌成高阜，拾婦女鞋挂樹上如秋葉。相傳十五夜燈殘人靜，當壚者正收盤核，有美婦六七人買酒，酒盡，有未開瓮者。買大罍一，可四斗許，出袖中瓜蔬果，頃刻罄罍而去。疑是女人星，或曰酒星。又一事：有無賴子于城隍廟左借空樓數楹，以姣童實之，爲『簾子胡同』。是夜，有美少年來狎某童，剪燭殢酒，媟褻非理，解襦乃女子也，未曙即去，不知其地、其人，或是妖狐所化。

王月生

南京朱市妓，曲中羞與爲伍；王月生出朱市，曲中上下三十年決無其比也。面色如建蘭初開，楚楚文弱，纖趾一牙，如出水紅菱，矜貴寡言笑，女兄弟閒客，多方狡獪，嘲弄咍侮，不能勾其一粲。善楷書，畫蘭竹水仙。亦解吳歌，不易出口。南中勳戚大老力致之，亦不能竟一席。富商權胥得其主席半晌，先一日送書帕，非十金則五金，不敢褻訂。與合巹，非下聘一二月前，則終歲不得也。好茶，善閔老子，雖大風雨、大宴會，必至老子家啜茶數壺始去。所交有當意者，亦期與老子家會。

一日，老子鄰居有大賈，集曲中妓十數人，群誶嘻笑，環坐縱飲。月生立露臺上，倚徙欄楯，眂娗羞澀，群婢見之皆氣奪，徙他室避之。月生寒淡如孤梅冷月，含冰傲霜，不喜與俗子交接，或時對面同坐，起若無睹者。有公子狎之，同寢食者半月，不得其一言。一日口囁嚅動，閒客驚喜，走報公子曰：『月生開言矣！』哄然以爲祥瑞，急走伺之，面赬，尋又止，公子力請再三，噻澀出二字曰：『家去。』

張東谷好酒

余家自太僕公稱豪飲，後竟失傳。余父余叔不能飲一蠡殼，食糟茄面即發赬，家常宴會，但留心烹飪，庖厨之精，遂甲江左。一簋進，兄弟爭啖之立盡，飽即自去，終席未嘗舉杯。有客在，不待客辭，亦即自去。山人張東谷，酒徒也，每悒悒不自得，一日起謂家君曰：『爾兄弟奇矣！肉只是吃，不管好吃不好吃；酒只是不吃，不知會吃不會吃。』二語頗韵，有晋人風味。而近有傖父載之《舌華録》曰：『張氏兄弟賦性奇哉！肉不論美惡，只是吃；酒不論美惡，只是不吃。』字字板實，一去千里，世上真不少點金成鐵手也。東谷善滑稽，貧無立錐，與惡少訟，指東谷爲萬金豪富，東谷忙忙走訴大父曰：『紹興人可惡，對半説謊，便説我是萬金豪富！』大父常舉以爲笑。

樓船

家大人造樓，船之；造船，樓之。故里中人謂船樓，謂樓船，顛倒之不置。是日落成爲七月十五，自大父以下，男女老稚靡不集焉。以木排數重搭臺演戲，城中村落來觀者，大小千餘艘。午後颶風起，巨浪磅礴，大雨如注，樓船孤危，風逼之幾覆，以木排爲戙索纜數千條，網網如織，風不能撼。少頃風定，完劇而散。越中舟如蠡殼，跼蹐篷底看山，如矮人觀場，僅見鞋靸而已，升高視明，頗爲山水吐氣。

阮圓海戲

阮圓海家優講關目，講情理，講筋節，與他班孟浪不同。然其所打院本，又皆主人自製，筆筆勾勒，苦心盡出，與他班鹵莽者又不同。故所搬演，本本出色，脚脚出色，齣齣出色，句句出色，字字出色。余在其家看《十錯認》、《摩尼珠》、《燕子箋》三劇，其串架門筍、插科打諢、意色眼目，主人細細與之講明。知其義味，知其指歸，故咬嚼吞吐，尋味不盡。至于《十錯認》之龍燈、之紫姑，《摩尼珠》之走解、之猴戲，《燕子箋》之飛燕、之舞象、之波斯進寶，紙札裝束，無不盡情刻畫，故其出色也愈甚。阮圓海大有才華，恨居心勿靜，其所編諸劇，罵世十七，解嘲十三，多詆毀東林，辯宥魏黨，爲士君子所唾弃，故其傳奇不之著焉。如就戲論，則亦鏃鏃能新，不落窠臼者也。

巘花閣

巘花閣在筠芝亭松峽下，層崖古木，高出林皋，秋有紅葉。坡下支壑迴渦，石蹬棱棱，與水相距。閣不檻、不牖，地不樓、不臺，意正不盡也。五雪叔歸自廣陵，一肚皮園亭于此小試，臺之、亭之、廊之、棧道之，照面樓之，側又堂之、閣之、梅

花纏折旋之，未免傷板、傷實、傷排擠，意反跼蹐，若石窟書硯。隔水看山、看閣、看石麓、看松峽上松，廬山面目，反于山外得之。五雪叔屬余作對，余曰：『身在襄陽袖石裏，家來輞口扇圖中。』言其小處。

范與蘭

范與蘭七十有三，好琴，喜種蘭及盆池小景。建蘭三十餘缸，大如簸箕。早舁而入，夜舁而出者，夏也；早舁而出，夜舁而入者，冬也。長年辛苦，不減農事。花時，香出里外，客至坐一時，香襲衣裾三五日不散。余至花期至其家，坐卧不去，香氣酷烈，逆鼻不敢嗅，第開口吞欲之，如流瀣焉。花謝，糞之滿箕，余不忍弃，與與蘭謀曰：『有麵可煎，有蜜可浸，有火可

焙，奈何不食之也？』與蘭首肯余言。與蘭少年學琴于王明泉，能彈《漢宮秋》、《山居吟》、《水龍吟》三曲。後見王本吾琴，大稱善，盡弃所學而學焉，半年學《石上流泉》一曲，生澀猶棘手。王本吾去，旋亦忘之，舊所學又鋭意去之，不復能記憶，究竟終無一字，終日撫琴，但和弦而已。所畜小景有豆板黄楊，枝幹蒼古奇妙，盆石稱之。朱樵峰以二十金售之，不肯易，與蘭珍愛，『小妾』呼之。余强借齋頭三月，枯其垂一幹，余懊惜，急舁歸與蘭。與蘭驚惶無措，煮參汁澆灌，日夜摩之不置，一月後枯干復活。

蟹會

食品不加鹽醋而五味全者，爲蚶、爲河蟹。河蟹至十月與

稻粱俱肥，殼如盤大，墳起，而紫螯巨如拳，小脚肉出，油油如螾蜑。掀其殼，膏膩堆積如玉脂珀屑，團結不散，甘腴雖八珍不及。一到十月，余與友人兄弟輩立蟹會，期于午後至，煮蟹食之，人六隻，恐冷腥，迭番煮之。從以肥臘鴨、牛乳酪，醉蚶如琥珀，以鴨汁煮白菜如玉版，果蓏以謝橘、以風栗、以風菱。飲以玉壺冰，蔬以兵坑笋，飯以新餘杭白，漱以蘭雪茶。繇今思之，真如天厨仙供，酒醉飯飽，慚愧慚愧。

露兄

崇禎癸酉，有好事者開茶館，泉實玉帶，茶實蘭雪，湯以旋煮無老湯，器以時滌無穢器，其火候、湯候，亦時有天合之者，余喜之，名其館曰『露兄』，取米顛『茶甘露有兄』句也。爲

之作《鬥茶檄》曰：『水淫茶癖，爰有古風；瑞草雪芽，素稱越絶。特以烹煮非法，向來葛竈生塵；更兼賞鑒無人，致使羽《經》積蠹。邇者擇有勝地，復舉湯盟，水符遞自玉泉，茗戰爭來蘭雪。瓜子炒豆，何須瑞草橋邊；橘柚查梨，出自仲山圃內。八功德水，無過甘滑香潔清涼；七家常事，不管柴米油鹽醬醋。一日何可少此，子猷竹庶可齊名；七碗吃不得了，盧仝茶不算知味。一壺揮麈，用暢清談；半榻焚香，共期白醉。』

閏元宵

崇禎庚辰閏正月，與越中父老約重張五夜燈，余作張燈致語曰：『兩逢元正，歲成閏于攝提之辰；再值孟陬，天假人以閒暇之月。《春秋傳》詳記二百四十二年事，春王正月，孔子未得重書；開封府更放十七、十八兩夜燈，乾德五年，宋祖猶煩欽賜。茲閏正月者，三生奇遇，何幸今日而當場；百歲難逢，須效古人而秉燭。況吾大越，蓬萊福地，宛委洞天，大江以東，民皆安堵，遵海而北，水不揚波。含哺嬉兮，共樂太平之世界；重譯至者，皆言中國有聖人。千百國來朝，白雉之陳無算；十三年于茲，黃耇之說有徵。樂聖銜杯，宜縱飲屠蘇之酒；較書分火，應暫輟太乙之藜。前此元宵，竟因雪妒，天亦知點綴豐年；後來燈夕，欲與月期，人不可蹉跎勝事。六鰲山立，祗說飛來東武，使鷄犬不驚；百獸室懸，毋曰下守海澨，唯魚鼈是見。笙簫聒地，竹椽出自柯亭；花草盈街，禊帖携來蘭渚。士女潮涌，撼動蠡城；車馬雷殷，喚醒龍嶼。況時逢豐穰，呼庚呼癸，一歲自兆重登；且科際辰年，爲龍爲光，兩榜必徵雙首。莫輕此五夜之樂，眼望何時？試問那百年之人，躬逢幾次？敢祈同志，勿負良宵。敬藉赫蹏，喧傳口號。』

合采牌

余作文武牌，以紙易骨，便于角鬥，而燕客復刻一牌，集天下之鬥虎、鬥鷹、鬥豹者，而多其色目，多其采，曰『合采牌』。余爲之作叙曰：『太史公曰：「凡編户之民，富相什則卑下之，伯則畏憚之，千則役，萬則僕，物之理也。」古人以錢之名不雅馴，縉紳先生難道之，故易其名曰賦，曰祿，曰餉，天子千里外曰采。采者，采其美物以爲貢，猶賦也。諸侯在天子之縣内曰采，有地以處其子孫亦曰采，名不一，其實皆穀也，飯食之謂也。周封建多則采勝，秦無采則亡。采在下無以合之，則齊桓、晉文起矣。列國有采而分析之，則主父偃之謀也。繇是而亮采服采，好官不過多得采耳。充類至義之盡，竊亦采也，盜亦采也，鷹虎豹繇此其選也。然則奚爲而不禁？曰：小役大，弱役强，斯二者天也。《臯陶謨》曰「載采采」，微哉、之哉、庶哉！』

瑞草溪亭

瑞草溪亭爲龍山支麓，高與屋等。燕客相其下有奇石，身執蘽臿，爲匠石先發掘之。見土葺土，見石甃石，去三丈許，始與基平，乃就其上建屋；屋今日成，明日拆，後日又成，再後日又拆，凡十七變而溪亭始出。蓋此地無溪也而溪之，溪之不足，又瀦之，壑之，一日鳩工數千指，索性池之，索性闊一畝，索性深八尺。無水，挑水貯之，中留一石如案，迴瀦浮巒，頗亦有致。燕客以山石新開，意不蒼古，乃用馬糞塗之使長苔蘚，苔蘚不得即出，又呼畫工以石青、石綠皴之。一日左右視，謂此石案，焉可無天目松數棵盤鬱其上！遂以重價購天目松五六棵，鑿石種之。石不受鍤，石崩裂，不石不樹，亦不復案。燕客怒，連夜鑿成硯山形，缺一角，又輂一礐石補之。燕客性卞急，種樹不得大，移大樹種之，移種而死，又尋大樹補之。種不死不已，死亦種不已，以故樹不得不死，然亦不得即死。溪亭比舊址低四丈，運土至東，多成高山，一畝之室，滄桑忽變。見其一室成，必多坐看之，至隔宿或即無有矣。故溪亭雖渺小，

所費至巨萬焉。燕客看小説：『姚崇夢游地獄，至一大廠，爐鞴千副，惡鬼數千，鑄瀉甚急，問之，曰：「爲燕國公鑄橫財。」後至一處，爐竈冷落，疲鬼一二人，鼓橐奄奄無力，崇問之，曰：「此相公財庫也。」崇寤而嘆曰：「燕公豪奢，殆天縱也。」』燕客喜其事，遂號『燕客』。二叔業四五萬，燕客緣手立盡。甲申，二叔客死淮安，燕客奔喪，所積薪俸及玩好幣帛之類又二萬許，燕客攜歸，甫三月又輒盡，時人比之魚宏四盡焉。溪亭住宅，一頭造，一頭改，一頭賣，翻山倒水無虛日。有夏耳金者，製燈剪綵爲花亦無虛日。人稱耳金爲『敗落隋煬帝』，稱燕客爲『窮極秦始皇』，可發一粲。

瑯嬛福地

陶庵夢有宿因，常夢至一石厂，峆窅岩覆，前有急湍迴溪，水落如雪，松石奇古，雜以名花。夢坐其中，童子進茗果，積書滿架，開卷視之，多蝌蚪、鳥迹、霹靂篆文，夢中讀之，似能通其棘澀。閑居無事，夜輒夢之，醒後伫思，欲得一勝地彷彿爲之。郊外有一小山，石骨棱礪，上多筠篁，偃伏園内。余欲造廠，堂東西向，前後軒之，後磥一石坪，植黄山松數棵，奇石峽之。堂前樹娑羅二，資其清樾。左附虚室，坐對山麓，磴磴齒齒，劃裂如試劍，匾曰『一丘』。右踞廠閣三間，前臨大沼，秋水明瑟，深柳讀書，匾曰『一壑』。緣山以北，精舍小房，絀屈蜿蜒，有古木、有層崖、有小澗、有幽篁，節節有緻。山盡有佳穴，造生壙，俟陶庵蜕焉，碑曰『有明陶庵張長公之壙』。壙左有空地畝許，架一草庵，供佛，供陶庵像，迎僧住之奉香火。大沼闊十畝許，沼外小河三四摺，可納舟入沼。河兩崖皆高阜，可植果木，以橘、以梅、以梨、以棗，枸菊圍之。山頂可亭。山之西鄙，有腴田二十畝，可秫可粳。門臨大河，小樓翼之，可看爐峰、敬亭諸山。樓下門之，匾曰『瑯嬛福地』。緣河北走，有石橋極古樸，上有灌木，可坐、可風、可月。

附錄

自序

陶庵國破家亡，無所歸止，披髮入山，駴駴爲野人。故舊見之，如毒藥猛獸，愕窒不敢與接。作自挽詩，每欲引決。因《石匱書》未成，尚視息人世。然瓶粟屢罄，不能舉火，始知首陽二老直頭餓死，不食周粟，還是後人裝點語也。飢餓之餘，好弄筆墨，因思昔人生長王、謝，頗事豪華，今日罹此果報。以笠報顱，以簣報踵，仇簪履也；以衲報裘，以苎報絺，仇輕暖也；以藿報肉，以糲報粻，仇甘旨也；以薦報床，以石報枕，仇温柔也；以繩報樞，以瓮報牖，仇爽塏也；以烟報目，以糞報鼻，仇香艷也；以途報足，以囊報肩，仇輿從也。種種罪案，從種種果報中見之。雞鳴枕上，夜氣方回，因想余生平，繁華靡麗，過眼皆空，五十年來，總成一夢。今當黍熟黄粱，車旅蟻穴，當作如何消受？遥思往事，憶即書之，持向佛前，一一懺悔。不次歲月，异年譜也；不分門類，别《志林》也。偶拈一則，如游舊徑，如見故人，城郭人民，翻用自喜，真所謂痴人前不得説夢矣。昔有西陵脚夫爲人擔酒，失足破其瓮，念無所償，痴坐佇想曰：『得是夢便好！』一寒士鄉試中式，方赴鹿鳴宴，恍然猶意非真，自嚙其臂曰：『莫是夢否？』一夢耳，惟恐其非夢，又惟恐其是夢，其爲痴人則一也。余今大夢將寤，猶事雕蟲，又是一番夢囈。因嘆慧業文人，名心難化，正如邯鄲夢斷，漏盡鐘鳴，盧生遺表，猶思摹拓二王，以流傳後世。則其名根一點，堅固如佛家舍利，劫火猛烈，猶燒之不失也。

跋

右《陶庵夢憶》八卷，明張岱撰。按岱，字宗子，山陰人。考邵廷采《思復堂集·明遺民傳》，稱其嘗輯明一代遺事爲《石匱藏書》。谷應泰作《紀事本末》，以五百金購請，慨然予之。又稱明季稗史，罕見全書，惟談遷編年、張岱列傳具有本末。應泰并采之以成紀事。則《明史紀事本末》固多得自宗子《石匱藏書》暨列傳也。阮文達《國朝文苑傳稿》略同。

是編刻于秀水金忠淳《研雲甲編》，殆非足本，序不知何人所作，略具生平，而亦作一卷。豈即忠淳筆歟？乾隆甲寅，仁和王文誥謂從王竹坡、姚春漪得傳鈔足本，實八卷，刻焉。顧每條俱綴『純生氏曰』云云。純生殆文誥字也，又每卷直題文誥編，恐無此體。兹概從芟薙，特重刻焉。

昔孟元老撰《夢華録》，吴自牧撰《夢粱録》，均于地老天荒，滄桑而後，不勝身世之感，兹編實與之同。雖間涉游戲三昧，而奇情壯采，議論風生，筆墨横恣，幾令讀者心目俱眩，亦异才也。考《明詩綜》沈邃伯敬《禮南都奉先殿紀事》詩『高后配在天，御幄神所栖。衆妃位東序，一妃獨在西。成祖重所生，嬪德莫敢齊』云云。《静志居詩話》『長陵每自稱曰：朕高皇后第四子也。然奉先廟制，高后南向，諸妃盡東列，西序惟碽妃一人，蓋高后從未懷妊，豈惟長陵，即懿文太子亦非后生也。世疑此事不實，誦沈詩，斯明徵矣』云云。兹編《鍾山》一條，即記其事，殆可補史乘之缺。又王貽上《分甘餘話》『柳敬亭善説平話，流寓江南，一二名卿遺老左袒良玉者，賦詩張之，且爲作傳，余曾識于金陵，試其技，與市井之輩無异』云云。而是編《柳敬亭説書》一條，稱其疾徐輕重，吞吐抑揚，入情入理，亦見其持論之平也。

咸豐壬子展重陽日，南海伍崇曜謹跋

自爲墓志銘

蜀人張岱，陶庵其號也。少爲紈絝子弟，極愛繁華，好精舍，好美婢，好孌童，好鮮衣，好美食，好駿馬，好華燈，好烟火，好梨園，好鼓吹，好古董，好花鳥，兼以茶淫橘虐，書蠹詩魔，勞碌半生，皆成夢幻。年至五十，國破家亡，避迹山居，所存者破床碎几，折鼎病琴，與殘書數帙，缺硯一方而已。布衣蔬食，常至斷炊。回首二十年前，真如隔世。

常自評之，有七不可解：向以韋布而上擬公侯，今以世家而下同乞丐，如此則貴賤紊矣，不可解一；産不及中人，而欲齊驅金谷，世頗多捷徑，而獨株守於陵，如此則貧富舛矣，不可解二；以書生而踐戎馬之場，以將軍而翻文章之府，如此則文武錯矣，不可解三；上陪玉皇大帝而不諂，下陪悲田院乞兒而不驕，如此則尊卑溷矣，不可解四；弱則唾面而肯自乾，强則單騎而能赴敵，如此則寬猛背矣，不可解五；争利奪名，甘居人後，觀場游戲，肯讓人先，如此則緩急謬矣，不可解六；博弈摴蒱，則不知勝負，啜茶嘗水，則能辨澠淄，如此則智愚雜矣，不可解七。有此七不可解，自且不解，安望人解？故稱之以富貴人可，稱之以貧賤人亦可；稱之以智慧人可，稱之以愚蠢人亦可；稱之以强項人可，稱之以柔弱人亦可；稱之以卞急人可，稱之以懶散人亦可。學書不成，學劍不成，學節義不成，學文章不成，學仙學佛，學農學圃俱不成，任世人呼之爲敗子，爲廢物，爲頑民，爲鈍秀才，爲渴睡漢，爲死老魅也已矣。

初字宗子，人稱石公，即字石公。好著書，其所成者有《石匱書》、《張氏家譜》、《義烈傳》、《瑯嬛文集》、《明易》、《大易用》、《史闕》、《四書遇》、《夢憶》、《説鈴》、《昌谷解》、《快園道古》、《傒囊十集》、《西湖夢尋》、《一卷冰雪文》行世。

生于萬曆丁酉八月二十五日卯時，魯國相大滌翁之樹子也，母曰陶宜人。幼多痰疾，養于外大母馬太夫人者十年。外太祖雲谷公宦兩廣，藏生牛黄丸盈數簏，自余囡地以至十有六歲，食盡之而厥疾始瘳。六歲時，大父雨若翁携余至武林，遇眉公先生跨一角鹿，爲錢塘游客，對大父曰：『聞文孫善屬對，吾面試之。』指屏上李白騎鯨圖曰：『太白騎鯨，采石江邊撈夜月。』余應曰：『眉公跨鹿，錢塘縣裏打秋風。』眉公大笑起躍曰：『那得靈雋若此，吾小友也。』欲進余以千秋之業，豈料余之一事無成也哉？

甲申以後，悠悠忽忽，既不能覓死，又不能聊生，白髮婆娑，猶視息人世。恐一旦溘先朝露，與草木同腐，因思古人如王無功、陶靖節、徐文長皆自作墓銘，余亦效顰爲之。甫構思，覺人與文俱不佳，輟筆者再。雖然，第言吾之癖錯，則亦可傳也已。曾營生壙于項王里之鷄頭山，友人李研齋題其壙曰：『嗚呼，有明著述鴻儒陶庵張長公之壙。』伯鸞高士，冢近要離，余故有取于項里也。明年，年躋七十，死與葬，其日月尚不知也，故不書。

銘曰：窮石崇，鬥金谷。盲卞和，獻荆玉。老廉頗，戰涿鹿。贋龍門，開史局。饞東坡，餓孤竹。五羖大夫，焉能自鬻。空學陶潛，枉希梅福。必也尋三外野人，方曉我之衷曲。

文華叢書

《文華叢書》是廣陵書社歷時多年精心打造的一套綫裝小型開本國學經典。選目均爲中國傳統文化之經典著作，如《唐詩三百首》《宋詞三百首》《古文觀止》《四書章句》《六祖壇經》《山海經》《天工開物》《歷代家訓》《納蘭詞》《紅樓夢詩詞聯賦》等，均爲家喻户曉、百讀不厭的名作。裝幀採用中國傳統的宣紙、綫裝形式，古色古香，樸素典雅，富有民族特色和文化品位。精選底本，精心編校，字體秀麗，版式疏朗，價格適中。經典名著與古典裝幀珠聯璧合，相得益彰，贏得了越來越多讀者的喜愛。現附列書目，以便讀者諸君選購。

文華叢書

書目　一

文華叢書書目

人間詞話（套色）（二册）
三字經·百家姓·千字文·弟子規（外二種）（二册）
三曹詩選（二册）
千家詩（二册）
小窗幽記（二册）
山海經（插圖本）（三册）
元曲三百首（二册）
元曲三百首（插圖本）（二册）
六祖壇經（二册）
天工開物（插圖本）（四册）
王維詩集（二册）
文心雕龍（二册）
文房四譜（二册）
片玉詞（套色、注評、插圖）（二册）
世説新語（二册）
古文觀止（四册）
古詩源（三册）
四書章句（大學、中庸、論語、孟子）（二册）
史記菁華録（三册）
史略·子略（三册）
白雨齋詞話（三册）
白居易詩選（二册）
老子·莊子（三册）
列子（二册）
西厢記（插圖本）（二册）
宋詞三百首（二册）
宋詞三百首（套色、插圖本）（二册）
宋詩舉要（三册）
李白詩選（簡注）（二册）
李商隱詩選（二册）
李清照集附朱淑真詞（二册）
杜甫詩選（簡注）（二册）

文華叢書

杜牧詩選（二冊）
辛弃疾詞（二冊）
呻吟語（四冊）
花間集（套色、插圖本）（二冊）
孝經・禮記（三冊）
近思録（二冊）
林泉高致・書法雅言（一冊）
東坡志林（二冊）
東坡詞（套色、注評）（二冊）
長物志（二冊）
孟子（附孟子聖迹圖）（二冊）
孟浩然詩集（二冊）
金剛經・百喻經（二冊）
周易・尚書（二冊）
茶經・續茶經（三冊）
紅樓夢詩詞聯賦（二冊）
柳宗元詩文選（二冊）
荀子（三冊）

秋水軒尺牘（二冊）
姜白石詞（一冊）
珠玉詞・小山詞（二冊）
唐詩三百首（二冊）
唐詩三百首（插圖本）（二冊）
酒經・酒譜（二冊）
格言聯璧（二冊）
孫子兵法・孫臏兵法・三十六計（二冊）
浮生六記（二冊）
秦觀詩詞選（二冊）
笑林廣記（二冊）
納蘭詞（套色、注評）（二冊）
陶庵夢憶（二冊）
陶淵明集（二冊）
張玉田詞（二冊）
雪鴻軒尺牘（二冊）
曾國藩家書精選（二冊）
飲膳正要（二冊）

絶妙好詞箋（三冊）
菜根譚・幽夢影（二冊）
菜根譚・幽夢影・圍爐夜話（三冊）
閑情偶寄（四冊）
畫禪室隨筆附骨董十三説（二冊）
夢溪筆談（三冊）
傳統蒙學叢書（二冊）
傳習録（二冊）
搜神記（二冊）
楚辭（二冊）
經史問答（二冊）
經典常談（二冊）
詩品・詞品（二冊）
詩經（插圖本）（二冊）

園冶（二冊）
裝潢志・賞延素心録（外九種）（二冊）
隨園食單（二冊）
遺山樂府選（二冊）
管子（四冊）
蕙風詞話（三冊）
墨子（三冊）
論語（附聖迹圖）（二冊）
樂章集（插圖本）（二冊）
學詩百法（二冊）
學詞百法（二冊）
戰國策（三冊）
歷代家訓（簡注）（二冊）
顔氏家訓（二冊）